LES ENFANTS ET LA SCIENCE

Couleurs

LE JAUNE

Jared Siemens

Weigl

Publié par Weigl Educational Publishers Limited
6325 10th Street SE
Calgary, Alberta T2H 2Z9
Site web : www.weigl.ca

Catalogage avant publication de Bibliothèque et Archives Canada

Siemens, Jared
[Yellow. Français]
        Le jaune / Jared Siemens.

(Les enfants et la science. Couleurs)
Traduction de : Yellow.
Publié en formats imprimé(s) et électronique(s).
ISBN 978-1-4872-0100-5 (relié).--ISBN 978-1-4872-0101-2 (livre électronique multiutilisateur)

        1. Jaune--Ouvrages pour la jeunesse. 2. Couleurs--Ouvrages pour la jeunesse. I. Titre. II. Titre : Yellow. Français.

QC495.5.S54714 2014   j535.6   C2014-901773-1
                                               C2014-901774-X

Imprimé à North Mankato, Minnesota, aux États-Unis d'Amérique
1 2 3 4 5 6 7 8 9 0 18 17 16 15 14

052014
WEP010714

Coordonnateur de projet : Jared Siemens
Conceptrice : Mandy Christiansen
Traduction : Translation Cloud LLC

Weigl reconnaît que les images Getty et iStock sont les principales fournisseurs d'images pour ce titre.

Tous les efforts raisonnablement possibles ont été mis en œuvre pour déterminer la propriété du matériel protégé par les droits d'auteur et obtenir l'autorisation de le reproduire. N'hésitez pas à faire part à l'équipe de rédaction de toute erreur ou omission, ce qui permettra de corriger les futures éditions.

Dans notre travail d'édition nous recevons le soutien financier du gouvernement du Canada par l'entremise du Fonds du livre du Canada.

Les enfants et la science
Couleurs
LE JAUNE

CONTENU

4   Qu'est-ce que le jaune?

6   Le jaune à la maison

8   Les aliments jaunes

10   Les jouets jaunes

12   Le jaune à l'extérieur

14   Les animaux jaunes

16   Le jaune dans l'aire de jeux

18   Le jaune à l'école

20   Ce que signifie le jaune

22   Trouver le jaune

**Quelle est cette couleur?
C'est une couleur gaie
et claire.**

Le jaune est ma couleur préférée en vue.

J'ai trouvé des assiettes jaunes dans une pièce ou on cuisine.

6

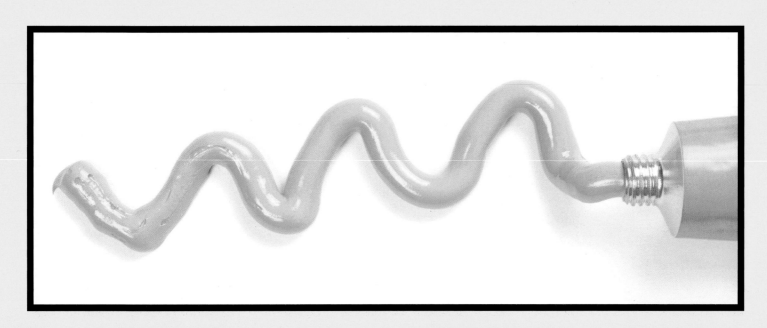

Y a-t-il du jaune dans la cuisine?
Peux-tu m'aider à chercher?

7

Le maïs et le poivron sont des aliments sucrés.

Quels genres d'aliments aimes-tu manger?

Je vois
un marteau.

Je vois
un canard.

Si tu aimes les jouets jaunes, je pense que tu es chanceux.

11

Tu pourrais voir le lever du soleil ou voir les feuilles jaunes tomber.

Quelles fleurs jaunes aimes-tu par-dessus tout?

Je vois une
araignée jaune.

Je vois un
poussin jaune.

Je vois un animal jaune qui fait battre mon cœur rapidement.

15

Peut-on aller dans l'aire de jeux?
C'est le meilleur endroit que
je connais.

Je vois des grimpeurs jaunes.

Je vois un jeu de morpion.

17

Trouve-t-on du jaune à l'école? Quels objets vois-tu?

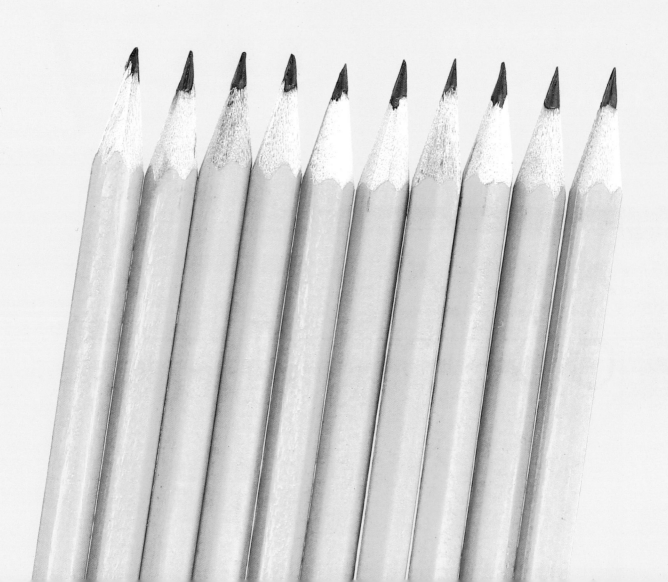

**Je vois
un bus d'école.**

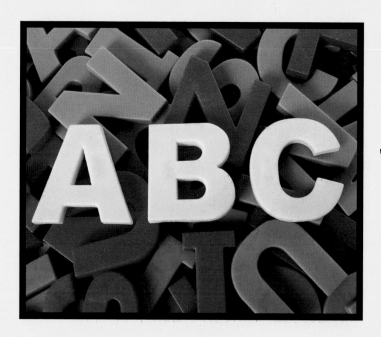

**Je vois
un ABC jaune.**

19

**Le jaune
signifie attention.**

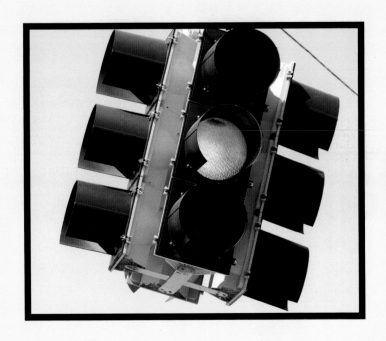

**Le jaune
signifie ralentir.**

Connais-tu d'autres significations du jaune?

Trouve la place de ces choses dans ce livre.

Retourne dans les pages et observe attentivement!